Loes en

Brigitte Minne
met tekeningen van Rosemarie de Vos

sterretjes

Zwijsen

Loes

Loes woont in een geel huis.
Het is een leuk huis.
Met een bloem voor het raam.
En een bel met een touw aan de deur.
Loes woont daar niet alleen.
Mama woont er ook.
Loes zit op de bank.
Er ligt een bol wol op haar schoot.
Ze haakt een zakje.
Een zakje voor Tom.
In dat zakje kan Tom zijn pen kwijt.
Loes kent Tom niet.
'Wat als Tom geen pen heeft, mama?'
'Dan stopt hij er een kam in, Loes.
Of een gum.
Of een knikker.
Of weet ik veel wat.'
'Ja,' zegt Loes.
Ze kijkt naar het huis naast hen.
Een groen huis.
Het huis is leeg.
Maar niet lang meer.
Nog een dag.
Dan komt Tom in dat huis.
Met zijn mama en papa.

2

Fijn is dat!
Loes kent Tom nog niet.

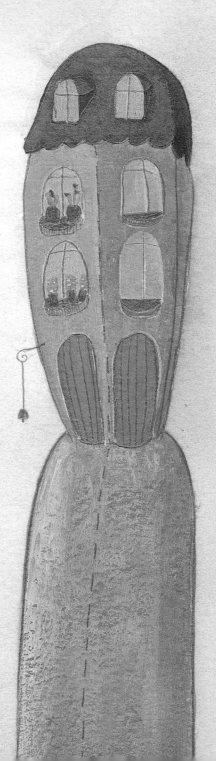

Klaar is Kees

Loes pakt een schaar.
Ze knipt de draad door.
'Het zakje is af,' roept ze.
Mama komt naast Loes staan.
Ze kijkt naar het zakje.
'Wat knap van je,' zegt ze.
'Ik hoop dat Tom er blij mee is,' lacht Loes.
'Ik denk het wel,' zegt mama.
Loes loopt naar de kast.
Ze pakt een vel en een lint.
Ze pakt het zakje in.
'Klaar is Kees,' lacht ze.
Klaar voor Tom!

Tom

Loes zit bij het raam.
Ver weg ziet ze een bus.
'Ik denk dat ze er zijn, mama.'
Loes pakt het pakje.
Ze rent naar de deur.
Ja, de bus stopt voor het huis naast hen.
Er stapt een man uit.
En een vrouw.
De mama en papa van Tom.
Dan ziet Loes Tom.
Hij heeft bruin haar.
Tom heeft een mand in zijn hand.
In die mand zit een poes.
Ze is rood.
Rood als een vos.
Loes wuift naar Tom.
Ze toont hem het pakje.
Maar Tom steekt zijn tong uit.
Loes kleurt zo rood als een biet.
Wat een oen!
Vlug slaat ze de deur dicht.

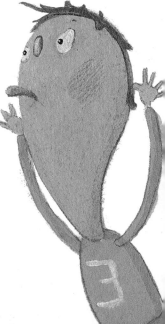

Wat een klier!

Loes ploft op de bank neer.
Hier zit ze dan met haar pakje.
Wat een klier is die Tom!
'Dat komt wel goed,' zegt mama.
'Voor mij hoeft het niet,' sist Loes boos.
Ze rukt het lint van het pakje.
Uit een la vist ze een schaar op.
Ze knipt een lus door.
Ze trekt een rij van het zakje uit.
En nog een rij en nog één.
Het zakje is nu veel kleiner.

Vosje

Loes loopt de tuin in.
Ze hoort de stem van Tom.
Er zit een gat in de haag.
Ze loert door het gat en ziet Tom.
De poes is er ook.
Ze geeft Tom kopjes.
En Tom duwt zijn neus in haar vacht.
'Vosje,' lacht hij.
Vosje ...
De naam past bij de poes.
Ze is zo rood als een vos.
Vosje maakt een koprol.
'Mal dier!' lacht Tom.
Loes schiet ook in de lach.
Tom kijkt op.
Hij loopt naar de haag en kijkt boos.
'Zit jij hier al lang?'
'Oh... nee,' liegt Loes.
'Ik zit hier nog maar pas.'
'Ga toch weg,' roept Tom.
'Jij stomme meid!
Of ik geef je een dreun.'
Loes veert op en loopt weg.
Ze knalt de deur dicht.
Waar is het zakje?

Boos trekt ze nog een rij uit.
En nog een rij.
Daar, daar, daar!
Het zakje is nu nog kleiner.

Vosje is weg

Het raam staat op een kier.
Loes kijkt door het raam.
Ze ziet Tom in de tuin naast hen.
Wat spookt hij uit?
Hij zoekt iets.
Loes ziet dat Tom huilt.
'Vosje, Vosje!' roept hij.
Loes weet wat er aan de hand is.
Zo zit dat dus.
Vosje is weg.
De poes waar Tom zo gek op is.
'Mij een zorg,' zegt Loes zacht.
Tom is toch maar een klier.

9

De hut

Loes heeft een hut in het bos.
'Mama, mag ik naar mijn hut?'
'Je doet maar,' zegt mama.
Loes stuift het huis uit.
Ze rent naar het bos.
Ze holt naar een boom bij de beek.
Daar is haar hut.
Loes kruipt de trap op.
Van de hut is een weg naar de beek.
Loes kan zo van de hut de beek in.
Dat is leuk!
Maar wat hoort ze daar in haar hut?
Loes kijkt door het raam.
In een hoek zit een dier.
Is het een haas of een das?
Zijn pels is rood.
Het dier heft zijn kop op.

Loes slaat een hand voor haar mond.
'Vosje!' roept ze.
Loes loopt de hut in.
'Je moet naar Tom,' zegt ze zacht.
'Maar Tom is niet lief.
Hij zegt dat ik stom ben.
Hij roept: "Ga toch weg.
Of ik geef je een dreun."
Ik leer hem een lesje!'

Melk en vis

Loes loopt naar huis.
Ze pakt melk en een blik met vis.
'Wat moet je met melk en vis?' vraagt mama.
'Een hap voor in de hut,' liegt Loes.
'Ik heb best trek.'
Mama kijkt Loes aan.
'Vis en melk?
Wil je geen peer en een sapje?'
'Nee, ik wil vis en melk, mama.'
'Mij goed,' lacht mama.
Loes haast zich naar haar hut in het bos.
Vosje is er nog.
Ze eet haar buik vol.
'Nu ben je van mij,' lacht Loes.
'Tom weet niet dat jij hier bent.'

Geen trek in taart

Tom huilt en huilt.
'Vosje is weg,' piept hij.
'En ik hou zo van haar.
Ze kent de buurt nog niet.
Ze kent vast de weg niet naar ons huis.'
Papa komt naast Tom staan.
'Kop op,' zoon.
'Vosje komt wel weer.
Het is een slim dier.'
Papa zegt dat wel, maar hij weet het ook niet.
Komt Vosje wel weer?
Mama bakt een taart voor Tom.
Tom is dol op taart.
Maar er gaat geen hap door zijn keel.

Loes en Vosje

Vosje geeft Loes kopjes.
Wat is het fijn.
Loes heeft veel pret met Vosje.
Toch knaagt er iets in haar buik.
Tom is een oen.
Maar hij is dol op Vosje.
Hij is triest dat Vosje weg is.
Loes zucht.
Ze pakt Vosje beet en kruipt de hut uit.
Ze loopt naar het huis van Tom.
Loes belt aan.
Tom komt naar de deur.
Loes geeft hem Vosje.
'Hier, van die meid die stom is,' gilt ze boos.
En weg is ze!
Tom kijkt haar na.
Dan duwt hij zijn neus in de vacht van Vosje.

De schelp en de kaart

De bel gaat.
Loes loopt naar de deur.
Tom staat op de stoep.
'Wat moet je?'
'Hier, voor jou,' zegt Tom.
Hij geeft Loes een schelp.
'Als je die schelp aan je oor houdt ...
hoor je de zee.'
Tom geeft Loes ook een kaart.
'Lees maar,' zegt hij.
Op de kaart staat:
Het spijt me.
Heel net in pen.
'Het spijt me echt,' zegt Tom zacht.
Te zacht.
Loes kijkt boos voor zich uit.
'Het zal wel,' mort ze.
'En dank je wel.
Ik ben zo blij dat Vosje er weer is.'
'Ze zat in mijn hut,' bromt Loes.
Tom kijkt Loes aan.
Een hut?
'Heb jij een hut?'
'Ja, in het bos.'
'Mag ik die hut eens zien?'

'Als je dat wilt,' zegt Loes.
'Ja,' zegt Tom.

De hut

Tom en Loes gaan naar de hut.
'Te gek!' roept Tom als hij de hut ziet.
Loes is trots.
Ze laat de weg zien naar de beek.
'Nee maar,' roept Tom.
Loes duikt de beek in.
Ze spet en spat in het rond.
Daar kijkt Tom van op.
Wat stoer.
Loes is niet stom.
'Nu jij,' gilt Loes.
Tom duikt ook de beek in.
Wat een pret!
De tijd gaat vlug.
Tom en Loes gaan naar huis.
'Kom je nog eens naar de hut?'
'Ja,' zegt Loes.
'Jij?'
'En of!' roept Tom.
'Leuk dat je naast me woont, Loes.'
'Mmm,' zegt Loes.

Het zakje

Loes kijkt naar de schelp.
Ze houdt de schelp bij haar oor.
Ze hoort de zee.
Ze leest Toms kaart nog eens.
Haar oog valt op het zakje.
Het zakje is te klein voor een pen.
Er kan ook geen knikker in.
Loes pakt de bol met wol.
Ze ploft op de bank neer en haakt.
Tom zal blij zijn.